同舟共济克时艰
命运与共创未来

——在博鳌亚洲论坛2021年年会
开幕式上的视频主旨演讲

（2021年4月20日）

习　近　平

人　民　出　版　社

同舟共济克时艰 命运与共创未来

——在博鳌亚洲论坛2021年年会开幕式上的视频主旨演讲

（2021年4月20日，北京）

中华人民共和国主席　习近平

尊敬的各位国家元首、政府首脑，

尊敬的各位国际组织负责人，

尊敬的各位博鳌亚洲论坛理事，

各位来宾，

女士们，先生们，朋友们：

“与君远相知，不道云海深。”很高兴出席博鳌亚洲论坛2021年年会，同大家在“云端”相聚。首先，我代表中国政府和中国人民，并以我个人的名义，对出席会议的线上线下所有嘉宾，表示热烈的欢迎！对各位新老朋友，表示诚挚的问候和美好的祝愿！

今年是论坛成立20周年。20年来，亚洲国家深入推动区域经济一体化，协力促进经济社会发展，推动亚洲成为全球经济最具活力和增长潜力的地区。亚洲和世界各国携手应对恐怖主义、印度洋海啸、国际金融危机、新冠肺炎疫情等传统安全和非传统安全威胁，努力维护地区稳定和安全。作为亚洲大家庭重要成员，中国不断深化改革开放，积极推动地区合作，与亚洲同进步，与世界共发展。论坛见证了中国、亚洲、世界走过的不平凡历程，为促进亚洲和世界发展发挥了重要影响力、推动力。

女士们、先生们、朋友们！

本届年会是在特殊背景下召开的。年会以“世界大变局：共襄全球治理盛举，合奏‘一带一路’强音”为主题，恰逢其时，具有重要现实意义。

当前，百年变局和世纪疫情交织叠加，世界进入动荡变革期，不稳定性不确定性显著上升。人类社会面临的治理赤字、信任赤字、发展赤字、和平赤字有增无减，实现普遍安全、促进共同发展依然任重道远。同时，世界多极化趋势没有根本改变，经济全球化展现出新的韧性，维护多边主义、加强沟通协作的呼声更加强烈。我们所处的是一个充满挑战的时代，也是一个充满希望的时代。

人类社会应该向何处去？我们应该为子孙后代创造一个什么样的未来？对这一重大命题，我们要从人类共同利益出发，以负责任态度作出明智选择。

中方倡议，亚洲和世界各国要回应时代呼唤，携手共克疫情，加强全球治理，朝着构建人类命运共同体方向不断迈进。

——**我们要平等协商，开创共赢共享的未来**。全球治理应该符合变化了的世界政治经济格局，顺应和平发展合作共赢的历史趋势，满足应对全球性挑战的现实需要。我们应该秉持共商共建共享原则，坚持真正的多边主义，推动全球治理体系朝着更加公正合理的方向发展。要维护以联合国为核心的国际体系，维护以国际法为基础的国际秩序，维护以世界贸易组织为核心的多边贸易体制。国际上的事应该由大家共同商量着办，世界前途命运应该由各国共同掌握，不能把一个或几个国家制定的规则强加于人，也不能由个别国家的单边主义给整个世界"带节奏"。世界要公道，不要霸道。大国要有大国的样子，要展现更多责任担当。

——**我们要开放创新，开创发展繁荣的未来**。开放是发展进步的必由之路，也是促进疫后经济复苏的关键。我们要推动贸易和投资自由化便利化，深化区域经济一体化，巩固供应链、产业链、数据链、人才链，构建开放型世界经济。要深化互联互通伙伴关系建设，推进基础设施联通，畅通经济运行的血脉和经络。要抓住新一轮科技革命和产业变革的历史机遇，大力发展数字经济，在人工智能、生物医药、现代能源等领域加强交流合作，使科技创新成果更好造福各国人民。在经济全球化时代，开放融通是不可阻挡的历史趋势，人为“筑墙”、“脱钩”违背经济规律和市场规则，损人不利己。

——**我们要同舟共济，开创健康安全的未来。**战疫仍在进行，胜利终将到来。我们要坚持人民至上、生命至上，加强信息共享和联防联控，提升卫生医疗合作水平，充分发挥世界卫生组织关键作用。要加强疫苗研发、生产、分配国际合作，提高疫苗在发展中国家的可及性和可负担性，让各国人民真正用得上、用得起。要全面加强全球公共卫生安全治理，共同构建人类卫生健康共同体。要坚持绿色发展理念，共同推进应对气候变化国际合作，加大落实应对气候变化《巴黎协定》。要坚持共同但有区别的责任原则，解决发展中国家在资金、技术、能力建设方面的关切。

——**我们要坚守正义，开创互尊互鉴的未来。**多样性是世界的基本特征，也是人类文明的魅力所在。经历了疫情洗礼，各国人民更加清晰地认识到，要摒弃冷战思维和零和博弈，反对任何形式的"新冷战"和意识形态对抗。国与国相处,要把平等相待、互尊互信挺在前面,动辄对他国颐指气使、干涉内政不得人心。要弘扬和平、发展、公平、正义、民主、自由的全人类共同价值,倡导不同文明交流互鉴,促进人类文明发展。

在此,我宣布,中方将在疫情得到控制后即举办第二届亚洲文明对话大会,为促进亚洲和世界文明对话发挥积极作用。

女士们、先生们、朋友们!

我多次说过,"一带一路"是大家携手前进的阳光大道,不是某一方的私家小路。所有感兴趣的国家都可以加入进来,共同参与、共同合作、共同受益。共建"一带一路"追求的是发展,崇尚的是共赢,传递的是希望。

面向未来,我们将同各方继续高质量共建"一带一路",践行共商共建共享原则,弘扬开放、绿色、廉洁理念,努力实现高标准、惠民生、可持续目标。

——我们将建设更紧密的卫生合作伙伴关

系。中国企业已经在印度尼西亚、巴西、阿联酋、马来西亚、巴基斯坦、土耳其等共建"一带一路"伙伴国开展疫苗联合生产。我们将在传染病防控、公共卫生、传统医药等领域同各方拓展合作，共同护佑各国人民生命安全和身体健康。

——我们将建设更紧密的互联互通伙伴关系。中方将同各方携手，加强基础设施"硬联通"以及规则标准"软联通"，畅通贸易和投资合作渠道，积极发展丝路电商，共同开辟融合发展的光明前景。

——我们将建设更紧密的绿色发展伙伴关系。加强绿色基建、绿色能源、绿色金融等领域合作，完善"一带一路"绿色发展国际联盟、"一带一路"绿色投资原则等多边合作平台，让绿色切实成为共建"一带一路"的底色。

——我们将建设更紧密的开放包容伙伴关系。世界银行有关报告认为，到2030年，共建"一带一路"有望帮助全球760万人摆脱极端贫困、3200万人摆脱中度贫困。我们将本着开放包容精神,同愿意参与的各相关方共同努力,把“一带一路”建成“减贫之路”、“增长之路”,为人类走向共同繁荣作出积极贡献。

女士们、先生们、朋友们!

2021 年,是中国共产党成立 100 周年。100 年来,中国共产党筚路蓝缕、求索奋进,为中国人民谋幸福,为中华民族谋复兴,为世界谋大同,不仅使中华民族迎来了从站起来、富起来到强起来的伟大飞跃,也为人类文明和进步事业作出了卓越贡献。中国将继续做世界和平的建设者、全球发展的贡献者、国际秩序的维护者。

中国将始终高举和平、发展、合作、共赢旗帜,在和平共处五项原则基础上拓展同各国友好合作,积极推动构建新型国际关系。中国将继续同世界卫生组织以及各国开展抗疫合作,坚守疫苗作为全球公共产品的承诺,为发展中国家战胜疫情提供更多帮助。中国无论发展到什么程度,永远不称霸、不扩张、不谋求势力范围,不搞军备竞赛。中国将积极参与贸易和投资领域多边合作,全面实施《外商投资法》和相关配套法规，继续缩减外资准入负面清单，推进海南自由贸易港建设，推动建设更高水平开放型经济新体制。欢迎各方分享中国市场的巨大机遇。

女士们、先生们、朋友们！

同舟共济扬帆起，乘风破浪万里航。尽管有时会遭遇惊涛骇浪和逆流险滩，但只要我们齐心协力、把准航向，人类社会发展的巨轮必将行稳致远，驶向更加美好的未来！

谢谢大家。

图书在版编目(CIP)数据

同舟共济克时艰,命运与共创未来:在博鳌亚洲论坛2021年年会开幕式上的视频主旨演讲/习近平 著. —北京:人民出版社,2021.4

ISBN 978-7-01-023401-4

Ⅰ.①同…　Ⅱ.①习…　Ⅲ.①习近平-讲话-学习参考资料②经济发展-亚洲-2021-学习参考资料　Ⅳ.①D2-0②F130.4

中国版本图书馆CIP数据核字(2021)第075943号

(RMC-ZJDXI-109-20210420)

同舟共济克时艰,命运与共创未来

TONGZHOU GONGJI KESHIJIAN MINGYUN YUGONG CHUANGWEILAI

——在博鳌亚洲论坛2021年年会开幕式上的视频主旨演讲

(2021年4月20日)

习　近　平

人民出版社 出版发行

(100706　北京市东城区隆福寺街99号)

北京新华印刷有限公司印刷　新华书店经销

2021年4月第1版　2021年4月北京第1次印刷

开本:880毫米×1230毫米 1/32　印张:0.5

字数:7千字

ISBN 978-7-01-023401-4　定价:2.00元

邮购地址 100706　北京市东城区隆福寺街99号

人民东方图书销售中心　电话 (010)65250042　65289539